Piero della Francesca

Piero della Francesca

Arnoldo Mondadori Arte

Testi di Roberta Villa

Sommario

Piero della Francesca

Con l'inizio del terzo decennio del XV secolo, il fenomeno della Rinascita delle arti, che è contemporaneamente rinascita dell'uomo, si avvia a raggiungere il suo massimo splendore. Uno straordinario fervore di idee, di studi, di iniziative culturali senza precedenti percorre tutta la penisola. Presso le corti dei nuovi, ambiziosi signori – desiderosi di affermare il proprio prestigio anche attraverso un'oculata politica culturale – i letterati, gli umanisti, gli scienziati, stimolati dal reciproco confronto, trovano l'ambiente più congeniale allo sviluppo delle loro capacità e alla crescita della loro esperienza. Gli artisti sono i consapevoli ed entusiasti protagonisti di questo momento storico, eccezionale per vivacità intellettuale e attività pratica: architetti, pittori, scultori vengono corteggiati dalle più facoltose famiglie cittadine o contesi dalle più illustri corti principesche del tempo.

Firenze diventa il centro propulsore del nuovo linguaggio artistico, la sede di questa irripetibile stagione creativa: mentre la grandiosa cupola di Santa Maria del Fiore sta progressivamente innalzandosi a ricoprire l'enorme tiburio, Brunelleschi pone le basi della nuova scienza prospettica, che consente una riproduzione matematicamente esatta della realtà visibile, Donatello scolpisce per le nicchie del campanile le figure violentemente realistiche dei profeti e il giovane Masaccio sconvolge i fiorentini affrescando i suoi drammatici personaggi nelle chiese di Santa Maria Novella e Santa Maria del Carmine.

Mentre il capoluogo toscano sta dunque assistendo ad una vera e propria rivoluzione artistica, a Borgo Sansepolcro cresce Piero della Francesca. Al suo luogo di origine, situato al confine tra Toscana e Umbria, egli rimane saldamente ancorato per tutta la vita: ivi acquista case e terreni, ricopre cariche pubbliche, lascia alcuni fra i suoi capolavori e viene infine sepolto, secondo il suo volere, nel 1492.

Solo gli impegni professionali riescono a strapparlo, seppur temporaneamente, dal luogo natale: la necessità di ricevere un'adeguata formazione lo porta nel 1439 a Firenze, per operare come frescante sotto la guida di Domenico Veneziano; prestigiose commissioni lo chiamano inoltre a Roma e a Perugia. Piero preferisce tuttavia vivere e lavorare al riparo dalle polemiche, dalle ambizioni, dai fasti dei centri di maggior spicco.

Predilige infatti il clima che si respira nelle piccole città come Arezzo o nelle corti tranquille come quella degli Este a Ferrara, dei Malatesta a Rimini e, soprattutto, dei Montefeltro a Urbino, dove trascorre i suoi ultimi anni, circondato dalla stima e dal sincero affetto dei suoi protettori.

Formazione e attività giovanile

I documenti superstiti concernenti la vita di Piero della Francesca consentono di ricostruire solo parzialmente le tappe fondamentali della sua esistenza. Borgo Sansepolcro, il paesino dell'alta Val Tiberina dove il maestro nasce tra il 1415 e il 1420, custodisce tuttora il maggior numero di testimonianze, documentarie e pittoriche, che lo riguardano.

La famiglia appartiene alla media borghesia artigiana locale: il padre, Benedetto de' Franceschi, è iscritto all'arte dei calzolai e si occupa, seguendo la tradizione familiare, della concia e del commercio di pellami; la madre è originaria di Monterchi, nei pressi di Arezzo, ove è ancora conservata *La Madonna del parto* (tav. 22), una delle opere più affascinanti dell'artista. Il paese natale rimarrà sempre per lui il luogo in cui riparare non appena possibile, lontano dal chiasso dei centri urbani o dai lussi degli ambienti cortesi che pure frequenterà con una certa assiduità per l'esercizio della sua professione; nell'ambito della piccola comunità locale Piero rivestirà importanti cariche pubbliche, fino a diventare consigliere comunale e priore di confraternita.

Si ignorano anche gli inizi della sua educazione artistica, impossibile tuttavia da immaginare nell'angusto luogo di origine e assai difficilmente collocabile nella vicina Arezzo, centro culturalmente attardato e geograficamente escluso rispetto ai grandi poli di sviluppo dell'arte rinascimentale.

Nel 1439 il pittore, non più giovanissimo, si trova però a Firenze: in quell'anno "Pietro di Benedetto dal Borgo di San Sepolcro" compare infatti nei registri contabili dell'ospedale di Santa Maria Nuova in qualità di esattore di una certa somma di denaro per conto di Domenico Veneziano in relazione all'esecuzione degli affreschi in Sant'Egidio. Se purtroppo dell'importante ciclo pittorico, raffigurante le *Storie della Vergine*, non sono sopravvissuti che scarsi frammenti, il documento costituisce un'attestazione illuminante circa la formazione dell'artista di Borgo, anche se non consente di desumere la specifica natura del legame – probabilmente più di un semplice apprendistato – che lo vincolava al maestro.

Domenico, uno dei protagonisti della pittura fiorentina degli anni Quaranta, è autore di auliche composizioni in cui il rigore della concezione spaziale, compiuta manifestazione dei principi prospettici brunelleschiani, viene artisticamente trasfigurato dalle sue doti di squisito colorista. La Firenze della fine degli anni Trenta del secolo tuttavia, ad un giovane pittore desideroso di trovare la propria strada, offre incomparabili fonti di ispirazione, straordinari saggi delle diverse linee di tendenza del tempo: è la Firenze di Masolino e Gentile da Fabriano, di Masaccio e Donatello, di Beato Angelico e Paolo Uccello, di Brunelleschi e Leon Battista Alberti. Suscitano indubbiamente una forte impressione su Piero le maestose, salde forme corporee affrescate da Masaccio in Santa Maria del Carmine, la stupefacente visione prospettica della *Trinità* in Santa Maria Novella, le geometrie astratte e i colori irreali di Paolo Uccello; lasciano tracce ancora più profonde nella sua mente la brillante gamma cromatica, la nitida impostazione spaziale e la pacata distribuzione delle figure delle tavole dell'Angelico; lo trovano sicuramente concorde, e anzi entusiasta sostenitore, i valori di prospettiva e di armonica proporzione delle forme che proprio in quegli anni l'Alberti andava teorizzando e sviluppando nel trattato *Della Pittura*.

Come si è già anticipato, è tuttavia nelle raffinate creazioni di Domenico Veneziano – nella chiarità della luce e nei teneri accordi cromatici che conformano in esse personaggi e strutture architettoniche – che vanno poste le radici della personale ricerca pierfrancescana.

Se sconosciuta è la durata del soggiorno fiorentino e della collaborazione con Domenico Veneziano, nel 1442 il pittore è nuovamente a Borgo Sansepolcro, candidato alle elezioni per la carica di consigliere popolare. Proprio la locale confraternita della Misericordia, in data 11 giugno 1445, gli commissiona un grandioso polittico per l'altare maggiore della sua chiesa (tavv. 1-3): sottoscrivendo il contratto di allogagione, Piero si impegna ad attenersi a specifici dettami di tipo iconografico, ad utilizzare oro fino e pigmenti di ottima qualità, a non avvalersi della collaborazione di terzi ed infine a consegnare l'intero complesso entro tre anni. In realtà molte clausole non verranno rispettate: all'imponente opera, costituita da ventritré scomparti, egli si applicherà infatti solo saltuariamente nel corso dei quindici anni successivi, compatibilmente con la molteplicità dei nuovi impegni di lavoro, ricorrendo inoltre all'intervento di aiuti per l'esecuzione della predella e delle tavolette laterali con figure di santi. Portato a termine verso il 1460, il polittico, nelle sue parti autografe, è dunque preziosa testimonianza dell'evoluzione della sua arte dagli anni dell'apprendistato fiorentino fino al soggiorno romano del 1458-1459.

Tra le prime tavole ad essere consegnate alla confraternita, in un arco di tempo che oscilla tra il 1445 e il 1448, compaiono, secondo il concorde giudizio della critica, la *Crocifissione* (tav. 1) della cimasa e i due santi dello scomparto di sinistra. Nella pala posta a coronamento del polittico chiara è la matrice fiorentina, più specificamente masaccesca, dell'iconografia e dello stile: San Giovanni e la Vergine, straziati dal dolore, si abbandonano ad una drammaticità esasperata, estranea alla più sincera poetica pierfrancescana; il corpo di Cristo, i lineamenti dei volti ed i panneggi delle figure sono rilevati con un gusto plastico non immune da influenze donatelliane e con un'incisività lineare che si stempereranno gradualmente nella successiva produzione del maestro.

Analoghe suggestioni dell'autore della cappella Brancacci si riscontrano nel giovane corpo di *San Sebastiano* (tavv. 1, 2), classicamente tornito e vigorosamente modellato nelle masse muscolari dai contrasti chiaroscurali generati dalla fonte di luce verso cui il santo volge lo splendido viso. I tratti somatici nettamente definiti – le labbra carnose, il naso robusto, gli occhi scuri – lo rendono fratello del devoto inginocchiato sotto il manto della Vergine, in cui la tradizione suole riconoscere l'autoritratto dell'artista; ad unire i due personaggi sono inoltre la contenuta tensione emotiva dell'espressione e l'intensità degli sguardi, entrambi indirizzati verso il rispettivo Essere superiore, il Crocifisso per il giovane martire e la Madonna per il fedele borghigiano. Il *San Giovanni Battista* (tavv. 1, 2) emergente dall'oro del fondo con la medesima veemenza di Sebastiano, presenta un viso profondamente scavato dall'incidenza delle ombre e un manto che, per l'aspro accartocciarsi delle sue pieghe, riconduce ancora a modelli di ambito fiorentino.

L'energico plasticismo che conforma le immagini di *Sebastiano* e del *Battista* si placa in una resa più morbida del modellato e in un fluire più articolato del panneggio nei santi *Andrea* e *Bernardino da Siena* (tav. 1), assegnabili cronologicamente agli inizi degli anni Cinquanta.

Ultima in ordine di tempo ad essere consegnata ai committenti – che nel frattempo avevano più volte sollecitato, anche tramite azioni legali, la conclusione dei lavori – è la tavola centrale rappresentante la *Madonna della Misericordia* (tavv. 1, 3). Stilisticamente databile attorno al 1460, il dipinto, nonostante le vincolanti clausole contrattuali che prescrivevano, in accordo con la tradizione iconografica trecentesca, l'uso del fondo oro e la sproporzione scalare tra le figure dei fedeli e l'immagine sacra, è già compiuta espressione dell'arte del maestro. La solenne figura della Vergine, frontale nell'impostazione e speculare nella posizione, assume la maestosità e la volumetria di una struttura architettonica. Mentre la veste è modulata da pieghe che cadono secondo fluenze ritmiche analoghe a scanalature colonnari, l'ampio mantello si incurva a mo' di nicchia per accogliere le figure dei devoti prospetticamente scalati in uno spazio che è definito dallo stesso manto. Piero riesce qui a vincere l'impenetrabilità della parete dorata che acquista, di contro, una propria fisicità per effetto della luce che genera i volumi delle figure, esaltandone le forme e conferendo agli incarnati, alle capigliature, alle stoffe degli abiti qualità cromatiche riecheggianti le minuziose raffinatezze materiche delle opere fiamminghe.

Contemporaneo ai primi pannelli del polittico della Misericordia è il *Battesimo di Cristo* (tavv. 4-6), capolavoro della giovinezza dell'artista e sintesi delle esperienze acquisite negli anni fiorentini. Il dipinto – nell'incantevole atmosfera di trasparenza cristallina che investe tutti gli elementi del creato – riflette in particolare la lezione di Domenico Veneziano e di Beato Angelico, anche in questo caso completamente riformulata in termini personali. Il paesaggio appenninico, pervaso da una chiara luminosità, appare trasfigurato in uno spazio edenico dove ogni cosa sembra conformarsi secondo la propria naturale disposizione, ed essere il frutto del talento innato dell'artefice, della sua estrema felicità creativa. In realtà tutto è sottomesso ad una rigorosa logica compositiva che ha come perno la figura di Cristo, asse centrale della tavola. Il calibrato equilibrio delle masse, manifestazione dell'armonia tra uomo e natura, conferisce alla scena un ritmo solenne, una sacralità tipica delle opere pierfrancescane, compiute espressioni di una raffinata cultura geometrico-prospettica dissimulata da sapienti consonanze cromatiche e tonali.

Con la seconda metà degli anni Quaranta per il giovane artista si apre un periodo splendido di viaggi, di ricerche, di scoperte, di conferme professionali. Avvertendo i limiti dell'ambiente gravitante attorno a Borgo Sansepolcro, Piero intreccia proficui rapporti di lavoro con nuovi committenti e, parallelamente, espande il campo della propria esperienza. Purtroppo non sono sopravvissute testimonianze dirette dell'attività, attestata dal Vasari, svolta in questi anni al servizio delle corti dell'Umbria, delle Marche e della Romagna.

Nulla è rimasto, ad esempio, degli affreschi eseguiti a Ferrara intorno al 1449 per Lionello d'Este e per la chiesa di Sant'Andrea degli Eremitani, anche se l'impatto della sua arte determinerà il corso della nascente scuola pittorica ferrarese. Nella città estense il maestro ha probabilmente l'occasione di ammirare opere di Rogier Van der Weyden, di osservare in esse la raffinata resa degli effetti luministici e le possibilità espressive offerte dal perfetto utilizzo della tecnica ad olio: suggestioni dell'arte fiamminga sembrano infatti evocare due tavolette, una a Berlino, la seconda a Venezia (tav. 7), raffiguranti *San Gerolamo*, databili entrambe al 1450.

Nel corso della sua personalissima ricerca, Piero approda a Rimini attorno al 1451, verosimilmente su raccomandazione di Leon Battista Alberti, allora impegnato nei lavori del Tempio Malatestiano, che nella sua articolazione riproponeva la grandiosità delle architetture antiche. Nelle teorie, nei disegni, nei progetti, nell'opera dell'Alberti, il pittore di Borgo trova il sostrato ideale per lo sviluppo della propria arte; nella misura, nella *ratio* compositiva dell'architettura del Tempio, nella varietà dei materiali, nella calibrata proporzione dei suoi elementi – colonne, archi, paraste, timpani – trova la conferma della propria naturale inclinazione. La perfetta conformazione di ogni particolare, il rapporto armonico che lo lega all'insieme, la tenue sfumatura cromatica che lo differenzia ma contemporaneamente lo sottomette ad una superiore logica dispositiva, caratterizzeranno gli stupendi edifici dipinti dei capolavori della maturità dell'artista che estenderà i medesimi principi di simmetria, proporzione ed armonia all'uomo e alla natura.

È lo stesso Tempio Malatestiano a conservare la prima attestazione dell'incontro di Piero con la concezione artistica albertiana: l'affresco, firmato e datato 1451, rappresentante *Sigismondo Pandolfo Malatesta* (tav. 8) di profilo, secondo le convenzioni del ritratto cortese, in atto di sottoporsi alla protezione di San Sigismondo, suo santo patrono, assiso invece di tre quarti su di un seggio. La scena è inquadrata, quasi solennemente scandita, da una struttura architettonica tripartita: tutte le figure intrecciano con essa un preciso rapporto geometrico-proporzionale che è fonte dell'armonia compositiva e dell'aura di "astratta fissità cerimoniale" del dipinto.

Il signore di Rimini, con ogni probabilità in un momento di poco precedente all'affresco, aveva posato per un ritratto, ora al Louvre (tav. 9), solo di recente entrato a far parte in via definitiva del catalogo dell'artista. Il netto taglio del volto, sbalzato sul nero del fondo con la medesima incisività di un solido geometrico, e la calma fissità dello sguardo si fondono con la minuziosa resa dell'incarnato, che è materia viva da cui sembra traspirare la forza, l'energia interiore dell'uomo. Se le caratteristiche tecniche possono rievocare gli esempi fiamminghi meditati alla corte estense verso il 1448-1450, peculiare della poetica di Piero e senza precedenti è la qualità stilistica dell'immagine: un'accurata, quasi maniacale, attenzione verso l'"infinitamente piccolo", sottoposto ad un superiore ordine matematico-geometrico.

Le opere riminesi costituiscono una conferma dell'equilibrio compositivo e della freschezza espressiva già rivelati con il *Battesimo di Cristo* (tavv. 4-6) e preannunciano le stupende immagini che di lì a poco Piero concepirà per il coro di San Francesco di Arezzo.

La leggenda della vera Croce

Piero giunge ad Arezzo nel 1452 chiamato dalla facoltosa famiglia Bacci per proseguire gli affreschi della cappella maggiore in San Francesco, la cui realizzazione si era interrotta in quello stesso anno a causa della morte dell'ormai anziano Bicci di Lorenzo, mediocre artista di scuola fiorentina cui era stato inizialmente commissionato il ciclo pittorico.

"La leggenda della vera Croce", tema caro alla religiosità popolare e alle confraternite francescane, comprendeva un vasto materiale narrativo, proveniente da fonti agiografiche medievali, codificato nel XIII secolo da Jacopo da Varagine nella *Legenda Aurea*. L'intricata e avventurosa vicenda, che aveva illustri precedenti negli affreschi di Agnolo Gaddi in Santa Croce a Firenze e in quelli di Cenni di Francesco a Volterra, si arricchisce ad Arezzo, per scelta iconografica di Piero e per volontà dei committenti, di inediti significati e di velate allusioni ai coevi, drammatici, avvenimenti politici e religiosi.

Dopo la caduta di Costantinopoli ad opera dei Turchi, nel 1453, la cristianità, sconvolta, guarda alla Croce non solo come reliquia, ma soprattutto come simbolo della fede e speranza di vittoria sulle forze del male. L'artista, attraverso l'esclusione di alcuni episodi e mediante l'esaltazione o l'introduzione di altri apparentemente estranei al racconto, si fa interprete di questi sentimenti largamente diffusi nella collettività.

Le scene, disposte su tre registri, si distribuiscono secondo schemi compositivi che attraverso parallelismi o rimandi speculari privilegiano gli effetti visivi dei soggetti, piuttosto che il contenuto narrativo. Al livello mediano la scena dell'*Adorazione del sacro legno e l'incontro di Salomone con la regina di Saba* (tavv. 10-12) – dipinta sulla parete di destra, di fronte al *Ritrovamento delle tre corci e la verifica della vera Croce* (tavv. 17-19) – rivela con manifesta limpidezza i fondamenti della poetica pierfrancescana. Le figure, dall'impostazione monumentale, esprimono l'assoluta purezza delle forme geometriche: sembrano solidissime statue modellate non dalla mano dell'uomo ma dal lento trascorrere del tempo o dall'impercettibile ma costante soffio del vento, vivificate infine dalla dolce intensità dell'energia solare. I loro corpi sono pieni volumi sottolineati – mai esaltati, a volte celati – da altri volumi, quelli morbidi dei panneggi, delle stoffe vellutate che fluiscono e si increspano ai bordi in raffinati, naturali giochi di pieghe; i volti, perfettamente ovali, non tradiscono alcun turbamento emotivo; i gesti, perfettamente calibrati, rivelano una profonda ma controllata partecipazione al sacro evento.

La dimensione atemporale che avvolge l'intera figurazione scaturisce dalla sensazione di infinita ripetitività cerimoniale della scena, sacra ed eterna rappresentazione in cui ogni personaggio riveste un ruolo essenziale e insostituibile: nessuna forma, nessun colore, nulla è fuori luogo. La visione sembra immobile: il maestro riesce a cogliere e a fissare l'istante di supremo equilibrio, il momento in cui l'uomo e la natura raggiungono la perfezione delle forme, la misura dei gesti e delle espressioni, incontrandosi con il divino, sacro ed immutabile ordine superiore delle cose.

Anche gli uomini, i cavalli, le armi, il paesaggio sullo sfondo delle Battaglie che occupano il registro inferiore della cappella, partecipano alla medesima sacra rappresentazione: impossibile ritrovare in essi pathos, impeto o violenza. Nella *Battaglia di Costantino e Massenzio* (tavv. 14-16) tutta la scena è superbamente orchestrata dall'alto, ogni elemento risponde ad un principio, ad un ordine superiore che è nella mente del "creatore". Forme e colori si accordano in un'irreale armonia dove nulla – espressioni, gestualità, tonalità cromatiche, rapporti tra vuoti e pieni – è in eccesso o in difetto.

Laddove, invece, come in alcuni brani della *Battaglia di Eraclio e Cosroe* (tavv. 20, 21), alla mano del maestro si affianca quella dei collaboratori, il miracoloso senso di sospensione spaziale e temporale si banalizza, diventando piuttosto schematicità; la calma solenne che impediva la concitazione dei movimenti si frange senza tuttavia che i personaggi si muovano liberi, lasciandoli come rigidi manichini: la composizione nel suo insieme, con l'eccezione di alcuni altissimi brani, sembra un'enorme parata, replica affollata della precedente; l'equilibrio etico ed ottico si incrina e i personaggi, "attori" ormai stanchi, recitano la parte accentuando enfaticamente ma senza partecipazione emotiva i gesti consueti.

Nel *Sogno di Costantino* (tav. 13), affrescato sulla parete di fondo, ritorna la magia pierfrancescana: il bagliore che accompagnando il messaggero celeste squarcia le tenebre, irradia e conforma plasticamente i volumi delle figure e delle cose, insieme al diffuso chiarore lunare che si scorge oltre il conico padiglione, rivela l'eccezionale sensibilità luministica del maestro: l'effetto "creatore" della luce si unisce, in questo che è tradizionalmente considerato il primo notturno della pittura italiana, ad uno straordinaio equilibrio compositivo e ad un profondo contenuto emotivo.

Assai probabimente eseguiti tra il 1452 e il 1458, sicuramente entro il 1466, anno in cui un documento attesta il compimento dei lavori, gli affreschi aretini costituiscono la suprema testimonianza della piena maturità dell'artista: con essi infatti Piero supera la plasticità formale di Masaccio, il brillante colorismo dell'Angelico e la poetica luce del Veneziano, assimilando nella sua personale visione del mondo il luminismo e il naturalismo tipicamente fiamminghi, il senso della misura e della proporzione dell'Alberti. La sua è arte unica ed irripetibile, al di sopra del reale per rigore compositivo, ma umanissima per l'afflato vitale che pur traspare dalla natura e dai personaggi; fine è la ricerca degli accordi cromatici, impostati su una gamma tonale abbastanza ristretta ma dalle calibrate corrispondenze: le varie tinte, talvolta cangianti per impercettibili sfumature, si richiamano reciprocamente all'interno della composizione, più spesso si riflettono, identiche, in accostamenti che rivelano sottili giochi di inversioni coloristiche.

La *Leggenda della vera Croce* (tavv. 10-21) rappresenta la pittura della conferma e della scoperta, dell'intelligenza e della meditata penetrazione della verità delle cose, pura manifestazione della perfetta armonia che governa le leggi dell'universo. Piero diventa così il sublime mediatore tra l'astratto e il concreto, tra l'eterno ed immutabile mondo delle pure geometrie e la confusa, multiforme instabilità della condizione umana.

Le opere della maturità e gli anni di Urbino

Nel 1458-1459, vedendo approssimarsi la conclusione della grandiosa impresa di Arezzo, "maestro Pietro dal Borgho dipintore" parte alla volta di Roma, al servizio di papa Pio II Piccolomini. Essendo purtroppo andati perduti gli affreschi che decoravano le Stanze Vaticane, rimangono ad attestare la felicità creativa della maturità alcune opere che se da una parte confermano la "sintesi prospettica di forma-colore" (Longhi) rivelatasi prepotentemente ad Arezzo, dall'altra forniscono preziosi segni premonitori circa gli ulteriori sviluppi della poetica pierfrancescana, sempre più attratta dalle infinite potenzialità espressive della luce e, parallelamente, dalla realtà capillare e microscopica delle cose.

Tra le opere più enigmatiche ed inquietanti di tutta la storia dell'arte italiana va senza dubbio annoverata la *Flagellazione di Cristo* (tav. 23), forse il capolavoro di Piero, da sempre oggetto di accese discussioni critiche per interpretazione iconografica e collocazione cronologica. La proposta che allo stato attuale delle conoscenze sembra accogliere maggior credito fra gli studiosi vedrebbe simboleggiato nell'episodio della Flagellazione la travagliata condizione della Chiesa dopo la caduta di Costantinopoli e nel gruppo di personaggi sulla destra alcuni dei partecipanti ad uno dei concili, forse quello di Mantova del 1459, indetti negli anni immediatamente successivi per fronteggiare, attraverso l'organizzazione di una crociata, l'avanzata turca.

L'analisi stilistica della tavola, che riunisce in sé un duplice significato, religioso e politico, parrebbe infatti confermare una realizzazione verso la fine del decennio o di poco posteriore al soggiorno romano del 1459.

Nella parte sinistra dell'opera, magistrale è la sapienza prospettica profusa nella costruzione dell'architettura classicheggiante, di grande raffinatezza è il disegno dei fregi a basso rilievo, delle volute e delle foglie d'acanto, dei capitelli corinzi. Ma al di sopra di tutto si pone, come elemento unificante, la qualità luministica e cromatica del brano: il bagliore quasi accecante – che si riflette sulla bianca architrave del tempio scivolando lungo le scanalature delle colonne per raccogliersi nella striscia che percorre orizzontalmente il sostrato pavimentale – definisce i limiti dell'architettura stessa e, contemporaneamente, riempie il riquadro centrale del soffitto cassettonato; la luce si stempera quindi in un impasto cromatico più caldo per infondere vita al corpo di Cristo e alle membra dei flagellatori, oppure si incupisce a modulare le ombre, a conformare la veste e il copricapo dell'uomo che osserva di spalle la scena. La percezione emozionale di questa piena compenetrazione di forme, luci e colori supera e confonde, anche solo per un istante, la percezione razionale dei calcoli matematici e prospettici sottesi alla costruzione del dipinto.

Se tutti questi elementi – allontanamento prospettico, classica ambientazione architettonica, colori come impalliditi dal trascorrere del tempo – rendono l'episodio della Flagellazione remoto, eterno, immutabile, quasi sublime sintesi di tutta la storia dell'uomo e del suo rapporto col divino, il settore di destra, caratterizzato da colori accesi, vivi, sanguigni, rappresenta invece la realtà contingente. Le tre robuste figure, plasticamente tornite, le stoffe pesanti dei manti scarlatti, porpora, blu broccato d'oro – secondo la moda di allora –, le tipologie architettoniche sulla destra ed infine il fresco azzurro del cielo costituiscono il presente, il punto di arrivo della storia dell'umanità e della Chiesa.

All'incirca coevi o di poco successivi alla *Flagellazione* (tav. 23) sono gli affreschi raffiguranti la *Madonna del parto*, nella cappellina del cimitero di Monterchi (tav. 22), la *Resurrezione di Cristo* nel palazzo dei Conservatori di Borgo Sansepolcro (tav. 24) e la *Santa Maria Maddalena*, nel duomo di Arezzo (tav. 25). Nel primo, l'infinita tenerezza espressiva del volto della Vergine, il naturale atteggiarsi delle braccia, si uniscono alla perfetta costruzione dello spazio, all'assoluta simmetria dei due angeli reggicortina. Nel secondo, la figura del Redentore, maestosa e solenne, immagine di forza e di certezza nella fede, è resa attraverso le più tenere sfumature del rosa, che diventa madreperla sulle carni cineree del corpo e corallo sul plastico fluire del manto. L'imponente Maddalena, stilisticamente assimilabile agli ultimi episodi del ciclo aretino, manifesta un accentuarsi degli interessi luministici e naturalistici: l'effetto della luce che modella i lineamenti del volto o che si insinua tra le lunghe, morbide ciocche della capigliatura, già preannuncia l'incantevole *texture* del piviale sfavillante del *Sant'Agostino* (tav. 26), oggi a Lisbona.

Parallelamente, la tavola rappresentante l'*Annunciazione*, cuspide di un polittico eseguito per Sant'Antonio delle Monache di Perugia (tav. 27) verso il 1470, testimonia l'inesausto approfondimento degli studi prospettici, che portano l'artista a concepire soluzioni architettoniche sempre più ardite e complesse.

A partire dal settimo decennio del secolo, Piero intensifica i suoi rapporti con la corte dei Montefeltro, diventata, grazie all'intelligenza e al mecenatismo di Federico, uno dei più raffinati centri di cultura internazionale della penisola, punto di incontro e di confronto fra letterati, artisti, scienziati di origine e formazione diversa. I contatti del pittore borghigiano con l'ambiente urbinate risalgono, secondo l'attendibile testimonianza vasariana, agli anni della giovinezza, quando avrebbe dipinto per la corte "molti quadri di figure piccole bellissime". Ora, nel pieno della maturità, ne diventa l'assoluto protagonista. La cerchia di artisti e intellettuali gravitante attorno alla corte urbinate nel momento in cui fervono i lavori al nuovo palazzo ducale, in particolare l'ammirazione professionale e l'affetto di cui godeva presso i duchi, costituiscono per l'artista – in questi anni vittima di una progressiva cecità – una straordinaria fonte di energia per la realizzazione delle sue ultime opere.

Il dittico rappresentante *Battista Sforza e Federico da Montefeltro* (tavv. 28, 29) può considerarsi compiuta espressione degli estremi sviluppi del linguaggio pittorico del maestro, sempre più attratto dall'"infinitamente piccolo" che traspariva dalle lucide, smaltate superfici dei quadri fiamminghi. Se i due ritratti mostrano, nella posa di profilo, il rispetto della tradizione italiana del Quattrocento, la loro resa materica, ottenuta attraverso una perfetta padronanza della tecnica ad olio, evidenza infatti la piena assimilazione della lezione fiamminga. Il chiaro incarnato di Battista è di un pallore quasi lunare, dalla sua sottile epidermide di alabastro sembrano trasparire l'azzurro intersecarsi del fitto reticolo di venature o il debole flusso sanguigno che le inrosa appena le gote; il volto terreo e abbronzato di Federico mostra invece un'epidermide spessa, solcata da rughe profonde, indagata nelle sue imperfezioni con impietoso gusto realistico. Tale straordinario "attaccamento" al minimo dettaglio, esaltato dalla volumetria delle forme, è usualmente limitato dal nettissimo e puro taglio dei profili.

Alle spalle dei duchi, così come sullo sfondo dei carri trionfali dipinti sul verso del dittico (tavv. 30, 31), si distende, immerso in un'incantevole atmosfera di aria e di luce, un vasto paesaggio collinare che si perde in lontananza.

La *Madonna di Senigallia* (tavv. 32, 33) risalente al 1470 circa, è vera e propria creazione della luce, che penetra dalla finestra sulla sinistra e investe frontalmente tutte le figure, sfumando i contorni dei volti, infiltrandosi nelle pieghe dei voluminosi panneggi, indorando di riflessi serpentinati i capelli degli angeli, sollevando in delicate trasparenze il velo leggero che poggia sul capo perfettamente ovale della Vergine, riflettendosi infine nei particolari più minuti, come nella preziosa coroncina di corallo del bambino o nella duplice fila di perle dell'angelo di destra.

Se la piccola tavola di Urbino può considerarsi il punto di arrivo delle ricerche di Piero sulle possibilità espressive della luce, la *Sacra Conversazione* della Pinacoteca di Brera (tavv. 34-36), assegnabile agli anni 1472-1474, rappresenta l'ultima grande testimonianza della sua arte. In essa la struttura architettonica accoglie, quasi in un abbraccio, i protagonisti del dipinto, che ripropongono la configurazione semicircolare del profondo vano absidale: il rapporto tra figure e architettura, tra forma, luce e colore è di perfetta armonia. Concretizzazione di questo supremo equilibrio, oltre che simbolo dell'Immacolata Concezione ed emblema dei Montefeltro, è l'uovo sospeso nella conchiglia del catino absidale, centro ideale di tutta la composizione.

L'aggravarsi della malattia agli occhi costringe molto probabilmente il maestro ad abbandonare prima del tempo la sua attività. La costante applicazione agli studi teorici lo porta alla stesura del *De prospectiva pingendi*, manuale che illustra ai pittori i segreti della prospettiva, e del *Libellus de quinque corporibus regularibus*, trattato in cui egli espone i fondamenti della propria arte e della propria visione del mondo, dimostrando che ogni aspetto della realtà è riconducibile ad un superiore ordine razionale, geometrico e matematico che è il medesimo che regola l'armonia cosmica.

Negli ultimi anni di vita, ai soggiorni alla corte dei Montefeltro Piero alterna frequenti "ritiri" nel paese natale nei cui pressi, a Bastia, si era rifugiato dal 1468 per sfuggire ad una pestilenza. La morte, sopraggiunta il 12 ottobre 1492, non lo coglie impreparato: fin dal 1487 infatti aveva redatto il suo testamento in cui esprimeva, fra le sue ultime volontà, il desiderio di essere sepolto nella "badia", oggi duomo di Sansepolcro.

L'eredità

I principi costitutivi dell'arte di Piero della Francesca – la "sintesi prospettica di forma-colore", l'impassibilità con cui sembra porsi nei confronti dell'universo rappresentato, il rigore geometrico da cui scaturisce l'armonia e il ritmo unitario delle sue composizioni – costituiscono un'eredità destinata non solo ad influenzare i più sensibili artisti delle generazioni successive, ma a produrre i suoi frutti fino al nostro secolo.

Superando il rude plasticismo masaccesco e il tenue cromatismo di Domenico Veneziano, incorporando inoltre la fondamentale lezione fiamminga, Piero, espressione dei valori pittorici del primo Rinascimento, è il principale artefice di un linguaggio figurativo che unisce la cultura dell'Italia centrale, con Melozzo da Forlì, Perugino e Raffaello, a Venezia, con Giovanni Bellini, Tiziano e Veronese, all'Italia meridionale, con Antonello da Messina.

Per lungo tempo la fortuna critica di Piero è stata di molto inferiore al reale valore della sua arte. A togliere la figura del pittore dall'oblio, a ricostruire le tappe principali del suo percorso artistico, a focalizzare infine la sua importanza nell'ambito della storia dell'arte, contribuirono in modo determinante gli studi di Roberto Longhi (1927) e di Kenneth Clark (1951).

Alla grande arte pierfrancescana si erano già accostati tuttavia, verso gli ultimi anni dell'Ottocento, pittori come Cézanne e Seurat, affascinati dalla peculiare "sintesi di forma-colore" e dalla "luminosa spazialità" delle composizioni del maestro. Di essa, parte della critica riconoscerà gli estremi sviluppi nel gusto geometrico astratto che connoterà la poetica espressiva del cubismo e delle avanguardie e il fondamentale sostrato culturale, di matrice genericamente classica mediterranea, che costituirà, per alcuni pittori italiani degli anni Venti e Trenta, un costante richiamo alla tradizione. In modo diverso, risentiranno dell'arte di Piero, fra gli altri, Carrà, Morandi, De Chirico e Casorati.

Gli importanti contributi degli ultimi decenni hanno messo a fuoco la grandezza universale del maestro di Borgo Sansepolcro – pittore della forma, della luce e della minuscola verità delle cose – indagando aspetti trascurati della sua arte, quale la complessa iconografia e simbologia sottese alla sua apparente naturalezza.

Antologia di scritti

Da Loreto venuto Piero in Arezzo, dipinse per Luigi Bacci, cittadino aretino, in San Francesco la loro cappella dell'altar maggiore, la volta della quale era già stata cominciata da Lorenzo di Bicci: nella quale opera sono storie della Croce, dacché i figliuoli d'Adamo, sotterrandolo, gli pongono sotto la lingua il seme dell'albero, di che poi nacque il detto legno, insino all'esaltazione di essa Croce fatta da Eraclio imperadore, il quale portandola in sulla spalla a piedi e scalzo entra con essa in Ierusalem. Dove sono molte belle considerazioni e attitudini degne d'esser lodate: come, verbigrazia, gli abiti delle donne della reina Saba, condotti con maniera dolce e nuova; molti ritratti di naturale antichi e vivissimi; un ordine di colonne corintie divinamente misurate; un villano che, appoggiato con le mani in su la vanga, sta con tanta prontezza a udire parlare Sant'Elena, mentre le tre croci si dissotterrano, che non è possibile migliorarlo. Il morto ancora è benissimo fatto, che al toccar della Croce resuscita; e la letizia similmente di sant'Elena, con la maraviglia dei circostanti che s'inginocchiano ad adorare. Ma sopra ogni altra considerazione e d'ingegno e d'arte è lo avere dipinto la notte ed un angelo in iscorto, che venendo a capo all'ingiù a portare il segno della vittoria a Costantino che dorme in un padiglione, guardato da un cameriere e da alcuni armati oscurati dalle tenebre della notte, con la stessa luce sua illumina il padiglione, gli armati e tutti i dintorni con grandissima discrezione. Perché Pietro fa conoscere in questa oscurità, quanto importi imitare le cose vere, e lo andarle togliendo dal proprio: il che avendo egli fatto benissimo, ha dato cagione ai moderni di seguitarlo, e di venire a quel grado sommo, dove si veggiono ne' tempi nostri le cose. In questa medesima storia espresse efficacemente in una battaglia la paura, l'animosità, la destrezza, la forza, e tutti gli altri affetti che in coloro si possono considerare che combattono; e gli accidenti parimente, con una strage quasi incredibile di feriti, di cascati e di morti: ne' quali per avere Pietro contraffatto in fresco l'armi che lustrano, merita lode grandissima; non meno che per aver fatto nell'altra faccia, dove è la fuga e la sommersione di Massenzio, un gruppo di cavalli in iscorcio così maravigliosamente condotti, che, rispetto a que' tempi, si possono chiamare troppo belli e troppo eccellenti. Fece in questa mede-

sima storia un mezzo ignudo e mezzo vestito alla saracina, sopra un cavallo secco, molto ben ritrovato di notomia, poco nota nell'età sua. [...] Fu Piero, come si è detto, studiosissimo dell'arte, e si esercitò assai nella prospettiva, ed ebbe buonissima cognizione d'Euclide; in tanto che tutti i migliori giri tirati nei corpi regolari egli meglio che altro geometra intese, ed i maggior lumi che di tal cosa ci siano, sono di sua mano: perché maestro Luca dal Borgo, frate di San Francesco, che scrisse de' corpi regolari di geometria, fu suo discepolo: e venuto Piero in vecchiezza ed a morte, dopo avere scritto molti libri, maestro Luca detto, usurpandoli per se stesso, gli fece stampare come suoi, essendogli pervenuti quelli alle mani dopo la morte del maestro. [...] Piero Borghese, le cui pitture furono intorno agli anni 1458, d'anni sessanta per un catarro accecò, e così visse insino all'anno ottantasei della sua vita. Lasciò nel Borgo bonissime facultà, ed alcune case che egli stesso si aveva edificate, le quali per le parti furono arse e rovinate l'anno 1536. Fu sepolto nella chiesa maggiore, che già fu dell'ordine di Camaldoli ed oggi è vescovado, onoratamente da' suoi cittadini. I libri di Pietro sono per la maggior parte nella libreria del secondo Federigo duca d'Urbino, e sono tali, che meritamente gli hanno acquistato nome del miglior geometra che fusse nei tempi suoi.
(G. Vasari, *Le vite de' più eccellenti pittori, scultori et architettori*, 1568)

Pietro della Francesca [...] par che fosse il primo a richiamar l'uso de' greci, che la geometria fecero servire alla pittura. [...] Era Borgo una parte dell'Umbria soggetta alla Santa Sede, che nel 1440 fu da Eugenio IV impegnata a' Fiorentini, quando era nel suo miglior fiore Piero della Francesca o Piero Borghese, un de' pittori da far epoca nella storia. Egli dovette nascere circa il 1398; poiché racconta il Vasari che "le sue pitture furono intorno al 1458", e che "di anni 60 accieco, e così visse fino all'anno 86 della sua vita". Di quindici anni fu indiritto a esser pittore quando avea già posti fondamenti di matematica; e coltivando l'una e l'altra facoltà, divenne in ammendue eccellente. Chi gli fosse maestro non mi è riuscito indagarlo; ben dee credersi che figlio di una povera vedova, che a stento il nodriva, non uscisse di patria; e che iniziato da oscuri maestri, col proprio ingegno si avanzasse a così gran credito. Splendé prima che altrove, dice il Vasari, nella corte di Guidubaldo Feltro vecchio, duca di Urbino; ove non altro lasciò che quadri di figure picciole, solito principio di chi non ebbe grandi maestri. Se ne celebra un vaso "in modo tirato a quadri e facce, che si vede d'innanzi, di dietro e dai lati, il fondo e la bocca; il che è certo cosa stupenda, avendo in quello sottilmente tirato ogni minuzia e fatto scortare il girare di que' circoli con molta grazia". Oltre la prospettiva, che alcuni vogliono aver coltivata scientificamente e per via di princìpi prima che altro italiano, la pittura dee molto a' suoi esempi nell'imitare gli effetti della luce, nel segnar con intelligenza la muscolatura de' nudi, nel preparare modelli di terra per le figure, nello studio delle pieghe, che ritraea da panni molli adattati a' modelli stessi; e le amò assai fitte e minute.
(L. Lanzi, *Storia pittorica della Italia*, 1795-96)

I suoi affreschi nel coro di S. Francesco ad Arezzo [...] rappresentanti le Storie di Costantino e della vera Croce mostrano nelle parti ancora conservate una caratterizzazione così energica, un tale movimento e un colorito così luminoso, che non ci si accorge affatto della mancanza d'una concezione più alta nei fatti rappresentati.
(J. Burckhardt, *Der Cicerone*, 1855, ed. it. 1952)

Taciute così [...] le vicende del sacro legno ai tempi di Cristo, Piero ne riprende la storia trecent'anni più tardi, immaginando la scena del famosissimo "Sogno di Costantino", e offrendoci in essa la pittura forse più inaspettata di ogni tempo italiano: un'opera dove il fiabesco notturnale del gotico collima col classicismo antico, col luminismo struttivo del Caravaggio, con quello magico del Rembrandt, e, persino, con la pesatura pulviscolare del Seurat [...].
Che la visione divenisse sublimemente sognata e miracolosa all'imperatore, agli astanti della scena perfettamente invisibile, a noi spettatori superbamente fenomenica come uno squarcio di plenilunio, ecco quel che Piero si propone, se non erriamo, nell'occupar di pittura quel breve spazio di muro.
Immagina dunque una gran tenda campale a padiglione conico, sostenuta al centro da un albero rotondo; di quel modello, insomma, che ancora

oggi dura nelle nostre campagne ad uso di ballo popolare. La mancanza di definizione nel "costume storico" di questa tenda è ciò che rende a noi il senso sommamente poetico di una perenne storicità: si pensa alle tende Argive, al sonno di Annibale prima di Canne, a quello d'un gran Crociato in Asia. Sfilano dietro quella, come montagne in un acrocoro, le tende degli altri capitani sotto le stelle guardinghe della notte umbra. Fu spalancata la tenda dell'imperatore per il caldo della notte estiva: e subito un gran lume piove dall'alto, a strapiombo, scrutando da presso, come un occhio di luna. Si scialba il rosso padiglione come il dosso pelato di un vulcano, le ombre si appiattano sotto il ciglio delle pieghe cannulate, e il bruno imperatore in bianca berretta, fuor della bianca rimboccatura, accoglie reverente sotto le ciglia suggellate l'"annunzio" luminoso. Il cameriere bianco, seduto sull'imbasamento del letto, apre gli occhi trasognando, e quel lume, fluendo dall'alto, va deponendosi sulla berretta, sulle braccia, sui ginocchi, come la neve illibata sui simulacri seduti; e va egualmente imbiancando gli elmi e gli spallacci dei due guardiani, per arrestarsi poi sul limite dell'ombra, proprio come la neve si allinea lungo la traccia segnata dal riparo delle gronde e dei tetti. Contro quel gran chiarore, indicatrice inconscia dell'angelo, capovoltosi oltre la tesa dell'ala spiegata, la lancia nera del primo pretoriano, e la mazza dell'altro ad attraversare macchinalmente il candore del lettuccio imperiale. Un tale composto di mistica bellezza favoleggiata, di calmo epos e di storica gravità, di miracolo e di naturale, di ritmo perspicuo e di bella sintesi di forma e di colore non si vide altrove nell'arte nostrana né di certo nella forestiera, giammai. [...]

Se ci rivolgiamo all'effige di Battista Sforza ci pare che l'intuizione fondamentale di forma risieda nell'aver tratto, da quel presentarsi di lato del viso, la possibilità di proporlo come una sezione, come una "metà" vagamente emisferica, che, per naturale esigenza simmetrica, viene a suggerire l'altra.

E quando, di fatto, si venga a scoprire che la curva al sommo del capo e le massime prominenze del così detto "profilo", ora combaciano, ora si dimostrano tangenti a un'inclusione circolare, s'intenderà meglio come quel lento incurvarsi della tempia d'avorio, della grave mandibola quasi equina, del nastro che va fasciando l'alto del capo come una doga in un astrolabio, calamitandovi il prezioso satellite di un enorme gioiello, e quei cautissimi accenni di piani a segnare appena l'orbita e le nari, non diano che maggior forza a quel suggerimento sferico. Il capo di Battista appare ora veramente, come nel verso di Giovanni Santi, "... di tutte le virtù lucente sfera"; una grave fiala vitrea appannata, deposta sulla base di nero, grigio ed oro del giubbetto, ornata nel collo come da un fregio sottilmente policromo; e, per quanto è della sintesi cromatica, soffiata all'improvviso sulle campiture del celo e della terra. [...] Costruito [il profilo di Federigo] ad una con quel suo berrettone ducale, come il cassero di un castello imprendibile, così alto sull'orizzonte; o forse come un Horus bonario, come un falchetto addomesticato del Montefeltro. Per quanto è poi dell'antica vastità sintetica di Piero, essa domina ancora, sui fondali semplici di celo e di paese, in quelle due gran zone di rosso quasi tropicale del berrettone e della veste, in quella, acutangola, dei capelli di nero d'avorio; e, ancora, nella plaga bruna, quasi prativa, che giunge l'abito rosso del Duca col bianco del fiume.

Ma avviene, e di qui la novità indicibile di codesti ritratti nello svolgimento dell'arte di Piero, che, pur tenendo fede, per la forma vicina imminente, al suo pensiero di misura superba, egli si provi ad immergerla direttamente nella pienezza dell'aria, risultandone dunque una contiguità immediata tra queste forme enormi, vicine e quelle dove, per lontananza, la natura già si presenta più indistinta, nebulosa e abbozzata. Ed ecco come le due astratte strutture, appena vagamente impersonate, dei duchi di Urbino regnano confidenzialmente sul paese, senza mediazioni di tende o di finestre, di sporti o di davanzali. [...]

Essa [Madonna di Sinigallia] è insomma, per sua natura, monumentale come lo sono quegli esemplari miracolosi di razza umana, quelle nutrici di re, rintracciate nel lontano cascinale e che, escluse dagli occhi profani, ma guardate dagli enigmici corazzieri del signore del luogo, sovvengono in silenzio, nei guardaroba palatini, alla durevolezza delle dinastie.

Fra le braccia di codesta nutrice, sta, di fatto, un alunno preziosissimo e insueto, che già si preludeva in quello della pala perugina, ma qui meglio dimostra la sua vera ascendenza. Obeso e

linfatico, come tutti i contemplativi orientali fondatori di religioni, di quella infanzia superba e grama che, come nei bisantini, pare assimilarsi alla vecchiezza, egli ha appreso il cerimoniale del gesto dagli ultimi imperatori suburbani del Cavallini, e, avvolto nella toga ingessata dei candidati, gravemente benedice; in quella gravità la collana di coralli e la rosa [...] paiono accennare a circostanze più attuali di una raffinata barbarie.
(R. Longhi, *Piero della Francesca*, 1927)

Allievo di Domenico Veneziano, come pittore di figura, e di Paolo Uccello per la prospettiva; cultore egli stesso di questa scienza; come artista, Piero fu tanto più dotato dell'uno o l'altro suo institutore. Poco inferiore a Giotto e Masaccio in quel che riguarda i valori tattili; rivale di Donatello nell'espressione dell'energia; fu il primo forse ad adoperare effetti di luce per le loro dirette qualità toniche e suggestive. Giudicandolo poi come illustratore, c'è da domandarsi se altri abbia mai rivelato un mondo più completo e convincente, o abbia avuto un ideale più maestoso, o investito nella realtà significati più eroici.
Non sempre, disgraziatamente, egli si valse di questi altissimi requisiti. A volte è impacciato dalla sua scienza prospettica; benché mai, come Paolo Uccello, dia l'impressione d'un agrimensore o topografo, invece che d'un pittore. Coloro che vanno cercando nei dipinti il loro tipo di bellezza favorito, di tanto in tanto saranno delusi da certe figure di Piero. Altri infine lo troveranno troppo impersonale e impassibile.
L'impersonalità è il dono col quale Piero ci incanta; è la sua virtù più caratteristica; ed egli la condivide con due soli altri artisti; l'anonimo scultore dei frontoni del Partenone, e Velazquez, che dipinse senza tradire pur un'ombra di sentimento.
(B. Berenson, *I pittori italiani del Rinascimento*, Milano 1948)

L'ammirazione in massa per Piero della Francesca che s'iniziò un quarto di secolo fa mi colse di sorpresa. Non perché mi fosse sfuggito il suo valore: nessuno che abbia appena sfogliato le pagine dedicate a Piero, or sono più di cinquant'anni, ne "I Pittori dell'Italia Centrale" vorrà accusarmi di una tale mancanza di sensibilità. A quel tempo, la maggior parte di noi storici poneva Piero tra i sommi, più in alto di quanto non si fosse mai posto; ma senza escludere da tale altezza, come oggi si fa, quasi ogni altro maestro dell'arte italiana. Inoltre noi godevamo di *tutte* le sue pitture; mentre il recente entusiasmo sembra ignorare le sue pale d'altare e le sue tavole, e si limita agli affreschi con la storia della Vera Croce ad Arezzo e alla Resurrezione di Borgo San Sepolcro. [...] Piero della Francesca sembra sia stato contrario alla manifestazione del sentimento, e disposto a tutto pur di evitarla. Esitava perfino a riprodurre la naturale reazione che si determina in un oggetto inanimato quando è investito da una forza, come a dire il rimbalzo di un ciocco colpito da un'accetta. Guardate l'affresco con la Battaglia fra Eraclio e Cosroe e la Decapitazione del monarca Sassanide. Nessuna adeguatezza d'azione, quasi nessuna rispondenza nell'espressione dei volti. Un rigido cavaliere verticale con una faccia immobile immerge una daga nella gola di un giovine. Unica concessione al sentimento è un fantaccino in primo piano, che meccanicamente solleva un braccio inarticolato e grida come un automa, perché un nemico l'ha goffamente afferrato per i capelli e lo minaccia con la spada sguainata. Nell'affresco di Borgo San Sepolcro, il Cristo risorto – un robusto stivatore, come il Battista nel giovanile polittico pure a Borgo o il Cristo battezzato di Londra – guarda fisso davanti a sé con grandi occhi rotondi che non parlano. E ci vorrebbe molta fantasia, per scoprire, nelle due figure ora citate, la minima corrispondenza fra il loro aspetto e la loro funzione. Come potrebbe lo Spirito Santo penetrare la selvatica testa dell'atleta che sta in piedi in mezzo al Giordano? Tre angeli sono lì presso, le più attraenti figure che Piero abbia dipinto mai; ma non si può esser certi che alcuno di essi partecipi alla scena. I ritratti del Duca e della Duchessa di Urbino sono concepiti come se essi fossero oggetti di natura, roccie, colline: le figure vi sono dipinte altrettanto topograficamente quanto il panorama che fa loro da sfondo. E a questo proposito osserverò che Piero era abbastanza antiromantico da preferire la campagna più squallida o, nel migliore dei casi, la meno dilettevole che potesse trovare. Un molle declivio argilloso, dove ciuffi d'erba o magri cespugli spuntano umilmente dalla sabbia o la creta: talora un fiumiciattolo l'attraversa indolente con le sue povere acque: tutt'al più, uno o due alberi

anonimi alzan la chioma compatta sulla monotonia dei dintorni. Ma come sono stupendamente realizzati quei rami e quei tronchi d'argento!
Delle pitture di Piero, quella ch'io amo sopra tutte, quella che mi soddisfa sempre più ogni volta che la rivedo, è la Flagellazione di Urbino. Nessun sentimento appropriato all'evento è espresso nel volto o nel corpo sia dei partecipanti sia del misterioso terzetto in primo piano. E tuttavia la loro impenetrabilità, il loro mutismo, c'ispirano un reverente stupore di che materia siano fatti. Non di carne e di sangue. Forse di una materia affine a quella della squisita architettura, dei fregi e dei soffitti e dei pavimenti e delle colonne, che sembrano intagliati in pietra dura.
Si è quasi tentati di concludere che Piero non s'interessava ai personaggi umani come a creature viventi, agenti, senzienti. Per lui erano esistenze in tre dimensioni, ch'egli forse avrebbe sostituito senza rimpianto con archi e pilastri, capitelli, cornici e pareti scandite. In verità, è nelle sue architetture che Pietro tradisce qualcosa come un sentimento lirico. Egli vi dipinge ciò che non può sperare di realizzare, il sogno di ambienti degni della sua mente e del suo cuore, dove l'anima sua possa sentirsi a casa propria. Così in questa Flagellazione come negli affreschi di Arezzo, dipingendo l'abside della Pala di Brera o il chiostro dell'Annunciazione a Perugia (dove non si perdette certo dietro alle figure), e nella veduta di una nobile piazza, su tavola oblunga, ad Urbino, assai probabilmente sua.
A questo punto si può azzardare la domanda se non sia esattamente l'ineloquenza di Piero, l'impassibilità delle sue figure che nessun'emozione sembra possa turbare, insomma se non sia la sua deliberata astensione da qualsiasi amplificazione retorica che, in un'epoca di passioni esasperate come la nostra, riposa, calma, blandisce lo spettatore e lo costringe alla gratitudine e all'adorazione. [...] non il solo Piero della Francesca, ma tutti gli artisti della figura tenuti in pregio da coloro che sono capaci di apprezzamento e di giudizio, ignorano la eloquenza, la seduzione, il richiamo emotivo, la gesticolazione; [...] il loro sforzo è sempre stato quello di trasmettere allo spettatore il carattere essenziale, la pura esistenza del modello che avevano davanti. [...] Possiamo dunque permetterci di generalizzare intorno a quest'arte del passato, ed affermare che, nei suoi momenti quasi universalmente reputati supremi, essa è sempre stata ineloquente come in Piero della Francesca, sempre, come in lui, muta e gloriosa.
Sono tentato di dir di più, di suggerire che forse, nel regno visivo, l'arte vera – in quanto distinta da non importa quali valori informativi o semplici novità o stravaganze o giuochi – sempre tende a comunicare la pura esistenza delle figure ch'essa presenta. L'arte vera non ha mai, né mai dovrebbe, rappresentare, ma *presentare*. L'arte è basata sulla realtà, ma vive indipendentemente da essa, senza guardare al trampolino dal quale si lancia nell'oceano dell'Essere. L'arte vera è Essere; e con Jehova dell'Antico Testamento dovrebbe rispondere, se richiesta cos'è: "Io sono Colui che è".
(B. Berenson, *Piero della Francesca o dell'arte non eloquente*, 1950)

Benché intimamente conscio dei fattori essenziali della vita e dell'arte, Piero non ha nulla del primitivo. Nel senso pieno e critico della parola, è un artista classico; e la sua riscoperta si deve in gran parte a un nuovo classicismo, di cui Cézanne e Seurat furono le manifestazioni viventi. Non c'è da meravigliarsi se gli ammiratori di Cézanne avevano un'idea dell'arte del '400 diversa da quella degli ammiratori di Burne-Jones: non cercavano fantasia bensì ordine, non grazia bensì solidità. Il sostantivo "blocchi", che Crowe e Cavalcaselle avevano applicato alle figure di Piero con valore negativo, divenne un termine d'elogio nel nuovo concetto di un'architettura pittorica. In modo particolare, l'impiego della prospettiva fatto da Piero, non soltanto nell'insieme della composizione, ma nelle singole figure, si accordava con lo spirito che avrebbe trovato la sua espressione nel Cubismo e derivati.
(K. Clark, *Piero della Francesca*, 1951)

Verso Masolino, l'Angelico e lo stesso Lippi, che è quanto dire verso una luminosità cristallina e un colorismo tenue e scoperto, lo spingevano le stesse preferenze del maestro, che di quelle luci e di quei colori rinnovava la perenne festosità in un timbro più dispiegato e aperto, non immemore della sottigliezza naturalistica dei Fiamminghi. Questo il nodo di cultura che stringeva Piero negli anni del suo noviziato; un nodo prestigioso ed eccitante, in cui confluivano orientamenti divergenti, motivi che provenivano da opposte di-

rezioni e tiravano verso direzioni altrettanto inconciliabili, una cultura al tramonto e il radioso mattino di quella nuova, che aveva già disegnato la trama delle sue complesse articolazioni. C'era da un lato, oltre le mortificazioni medievali e le favole del gotico, il riconquistato prestigio dell'uomo, che urgeva con il peso della presenza corporea, la carica dei sentimenti e delle passioni; e c'era dall'altro il prestigio della natura, che si dipanava dalle curiosità dello spirito gotico con il mistero delle sue luci e dei suoi colori. Fu la rivelazione luminosa della natura, suscitata dalle preferenze maturate nel corso della giovinezza pensosa, la grande scoperta di Piero, ma fu scoperta che non restò fine a se stessa, dal momento che da essa il grande artista non estraniò l'uomo ma lo pose al centro, in una sintesi folgorante, che, scavalcando la stessa tradizione fiorentina, poté alimentare per circa un secolo l'arte europea. La mediazione tra l'"uomo" e la "natura" o, per esprimerci in termini figurativi, tra la "forma" e il "colore" – e nel giuoco entrano i dati complessi delle esperienze dell'artista e delle sue lunghe meditazioni – è realizzata dalla prospettiva, una scoperta della cui portata Piero poté rendersi conto a Firenze, sia con lo studio delle opere di Masaccio, sia con la frequentazione dell'ambiente brunelleschiano e albertiano. E fu scoperta che accese la sua fantasia, gli fece vedere nella natura ciò che gli altri non avevano visto, alimentò la calma sovrana della sua opera, lo spinse a consegnare in trattati di estremo rigore i dati delle sue esperienze geometriche e matematiche.
(S. Bottari, *Piero della Francesca*, in *Enciclopedia Universale dell'Arte*, 1963)

Il fatto che si siano così ritrovati ad Urbino gli artisti più lucidi del Quattrocento farà della città il centro delle discipline matematiche e dell'arte "astratta" del Rinascimento. Il quadro della *Flagellazione*, grazie alla trama armonica dell'architettura e dei riquadri del pavimento, raggiunge una solennità ed un'intelligibilità piene. È ad Urbino che Piero redigerà il suo trattato di prospettiva artistica dedicato a Federico e l'opuscolo rimasto incompiuto *De quinque corporibus regularibus* pubblicato dal Pacioli nel 1509. Questi sono gli sviluppi specifici della speculazione "pitagorico-platonica" rinascimentale nel campo dell'arte. Se insomma esiste una architettura che corrisponde a quella auspicata dall'Alberti e che è consapevolmente regolata dal senso esatto dei rapporti armonici di Piero, è quella che, in accordo con loro, ha sviluppato il dalmata Laurana negli anni tra il 1468 e il 1472, in cui egli dirige i lavori di Urbino.
(A. Chastel, *Arte e Umanesimo a Firenze*, 1964)

A Piero spetta la celebrazione della leggenda della Croce, un ciclo probabilmente suggerito da qualche francescano, informato alla *Legenda aurea* di Jacopo da Varagine, ma anche alla propaganda contro i turchi ovviamente connessa alla sorte di Costantinopoli e dell'Impero Romano d'Oriente. Tra fascini leggendari e rancori presenti, Pietro, tuttavia, sceglie, secondo una cronologia rarefatta, quelle poche storie nelle quali intravede maggiori possibilità visive. [...]
Un riassunto di soggetti, anche secondo la minima cronologia che gli affreschi non rispettano, può apparire scucito e arbitrario, ma il tempo è risolto in spazio, il presente di Piero congloba i secoli, per assonanze cromatiche, la coerenza delle immagini è tale che dallo scempio della narrazione deliberatamente perpetrato scaturisce per chi guarda un inebriante rapimento. Nell'irradiare lieve dei colori sull'arduo ordito, dettato dal religioso rigore di Piero, è la apparente sconfessione di ogni contenutismo e dinamismo: una rustica e arcaica umanità come recuperata dalle statue classiche coesiste con un'umanità evoluta ed elegante come prelevata dalle corti rinascimentali, i grandi corpi poderosi di giganti e gigantesse non disdegnano di proporsi addirittura per goffi, e da questa goffaggine traggono maggiore solennità, la solennità di esistere nell'ubbidienza alle leggi geometriche che li hanno creati più vivi dei vivi, eternamente vivi, esattamente compresi, esattamente previsti nella sovranità dello spazio.
L'esistenza, l'assoluto presente, è più importante degli scopi e dei fraintendimenti umani, l'esistenza animale, vegetale, minerale superiore ai fatti atroci o gloriosi, tragici o umili, devoti o superbi, l'esistenza di questo culmine d'arte raggiunto attraverso la scienza, di questa verifica così evidente della più astratta delle teorie.
(O. Del Buono, *La luce del presente*, in P.L. De Vecchi, *L'opera completa di Piero della Francesca*, 1967)

Tutti i problemi che i pittori del secolo si erano posti e che avevano tentato di risolvere attraverso ricerche multiformi, spesso antitetiche, della forma e dell'espressione, sembrano risolversi da soli e trasformarsi in un'armonia assoluta nella produzione di Piero della Francesca.
Nella prefazione al trattato intitolato *De divina proportione* (1496), Luca Pacioli lo chiama "il monarca alli tempi suoi", definendo così l'arte del più grande genio del secolo: [...] nel Battesimo di Cristo [...] il plasticismo di Masaccio appare vivificato dall'intervento della luce che Piero riprende da Domenico Veneziano. La fusione di due linguaggi così lontani è la fonte della caratteristica peculiare di Piero che improntera d'allora in poi tutta la sua arte: il pietrificarsi delle forme in un eroico silenzio. [...] Nella Leggenda della Croce del coro di S. Francesco ad Arezzo l'arte di Piero, o meglio tutta l'arte della pittura, raggiunge la perfezione. [...] In queste pitture, l'artista, grazie al suo genio, portò tutta l'esperienza e la conoscenza dell'epoca all'apice dell'espressione artistica, la cui profondità spirituale si rivela nell'estrema semplicità dei mezzi, che tuttavia vengono sottilmente calcolati. Egli è un maestro della prospettiva, che riesce, partendo dalle possibilità di questa scienza, a concepire e rendere esattamente lo spazio e il volume dei corpi, a creare razionalmente la "forma monumentale", fermando le immagini colte dal vivo in una rigorosa costruzione fuori del tempo, astratta, matematica. [...] Riconoscendo nella luce l'elemento che forma i volumi e includendolo nella propria "ottica", Piero è un pioniere che fonde nella pittura la prospettiva della luce con quella del colore: la concezione doveva essere sostenuta e sviluppata, una generazione più tardi, da Leonardo da Vinci, come inevitabile correlazione della prospettiva matematica.
Eccoci arrivati al miracolo dell'arte cromatica di Piero. Da Domenico Veneziano egli apprese le risorse della luce chiamata a vivificare il colore, senso, questo, ancora poco sviluppato in Toscana; e quando nel 1450 lavorò a Ferrara per Borso d'Este (gli affreschi che vi eseguì si deteriorarono rapidamente) poté entrare in contatto con Rogier Van der Weyden e quindi con il cromatismo fiammingo. La preziosa esperienza acquisita (anche il tenero colore di un Beato Angelico gli era familiare) gli permise di raggiungere quella rara perfezione mediante la quale il colore per la prima volta diviene creazione stessa della luce. E qui incontriamo la prima regola dell'arte di Piero: l'economia di mezzi portata all'estremo. La sua tavolozza non è ricchissima: pochi colori, spesso freddi, gli bastano, ma essi sono superbamente sfumati e sapientemente contrastati. [...] Un'altra particolarità di Piero è che egli "disegna" col colore; la linea si limita praticamente al contorno e alla struttura della forma, e soprattutto là essa appare come valore-luce; ciò che separa due forme appare disegnato come una luminosità, cosicché il volume di un corpo risulta determinato non dal rilievo, ma dal limite luminoso. La predominante assoluta, anche se raramente evidente, dei valori chiari conferisce alla pittura di Piero la pienezza luminosa, togliendo ogni asperità ai colori pur senza diminuirne la forza.
(L.H. Heydenreich, *Il primo Rinascimento. Arte italiana 1400-1450*, 1974)

Le prime opere certe di Piero sono il *polittico della Misericordia*, per Borgo San Sepolcro (1445-1462) e il *Battesimo di Cristo*. Il primo è uno schieramento di figure isolate, in piedi, su fondo d'oro: i rapporti di grandezza tra gli scomparti sono modulari; ogni figura occupa e misura esattamente la cubatura spaziale compresa tra piano frontale e piano di fondo; questo prisma di spazio è riempito dalla luce che investe le figure ed è riflessa dal fondo dorato; l'illuminazione, dunque, costruisce il volume. L'assenza di ogni elemento architettonico o paesistico prova che, per Piero, la figura umana non è soltanto la mediazione tra spazio teorico e spazio empirico, ma la rivelazione della identità assoluta di spazio geometrico e luce.
Nel *polittico della Misericordia* la tesi è enunciata in termini quasi astrattamente teorici: il fondo d'oro come identità assoluta spazio-luce, le figure ridotte a forme quasi geometriche. Nel *Battesimo* la tesi è verificata sulla varietà delle sembianze naturali: lo spazio è un paesaggio aperto fino all'orizzonte, pieno di luce chiara e trasparente, come nell'Angelico. Ma non c'è propagazione della luce: il cielo si specchia nell'acqua in primo piano, alla luce che scende dall'alto corrisponde la luce che sale, riflessa, dal basso. Non essendovi trasmissione ma fissazione di luce, non v'è corsa

prospettica di linee e di piani colorati, ma un progressivo allontanarsi di macchie brune di boschi sui campi chiari.
I tre angeli non partecipano al rito portando, come di solito, le vesti di Cristo: sono pure presenze, quasi personificazioni mitiche dello spazio. Ma non lo adombrano nel simbolo, lo rivelano nella pienezza della forma. È evidente l'analogia tra il tronco dell'albero e i corpi nudi: tendono ugualmente alla forma ideale del cilindro, della colonna. E il corpo del battezzando che si spoglia, in secondo piano, è incurvato per mettere in rapporto le verticali ripetute, parallele delle figure e dell'albero con l'ansa del fiume e le curve blande dell'orizzonte. Nessuna "gerarchia" tra figure umane, alberi, paesaggio, fino ai minimi particolari: tutto ciò che si vede *è*, non vi sono gradi o diversi modi di essere. Poiché tutto è rivelato e certo, non può esservi anelito, ansia, tensione religiosa: la rivelazione della verità è conoscenza per l'intelletto, norma per l'agire morale.
(G.C. Argan, *Storia dell'arte italiana*, 1977)

Nell'arte italiana del Quattrocento, tutto pare accadere nelle due città che detengono una sorta di monopolio assoluto sul dibattito culturale: Firenze e Venezia.
A Firenze le prime generazioni del secolo fanno germinare sull'humus dell'Umanesimo e sulla scia di Giotto il tronco rigoglioso della "nuova tradizione". Essa parla il linguaggio delle architetture del Brunelleschi, terse e arditamente razionali; delle pitture di Masaccio, scabre e terrose, in cui la storia si risolve in dramma, azione tutta umana; delle sculture di Donatello, in cui l'Antichità classica e la narrazione popolaresca convivono in un linguaggio plastico straordinariamente compatto e potente. E anche quello del Beato Angelico, di Leon Battista Alberti, di Paolo Uccello, del Lippi, di Andrea del Castagno, in un pullulare continuo di invenzioni geniali. Da Venezia risponde una scuola di non minore forza, che ha i suoi campioni in Giovanni e Gentile Bellini, nel Mantegna, in Vittore Carpaccio, nel Codussi, e che adotta il nomade solitario Antonello da Messina.
Le stagioni del Gotico si sono definitivamente concluse. Ora sono uomini nuovi che guardano all'arte come a uno strumento per penetrare gli intimi segreti della realtà, per carpirne la verità: padroneggiano lo spazio attraverso la prospettiva, pensano la storia come celebrazione delle gesta dell'uomo e la natura come luogo che accoglie queste azioni. È un lucido orgoglio, il loro, sorretto dalle certezze di una ragione che si presume infallibile, padrona delle cose.
Eppure, per una delle solite bizze di quel proteiforme misterioso che è l'arte, un personaggio – forse il maggiore in assoluto – sfugge al potere di attrazione di queste due città, e risponde all'ottimismo frenetico del loro dibattito culturale con un'attività appartata, distaccata nei tempi e nei modi, attenta a cogliere le novità importanti ma solo per piegarle al proprio fluire asincrono, votato alla ricerca di una qualità assoluta e universale, come proiettata fuori dai ritmi della storia. È Piero della Francesca, "provinciale" di Borgo Sansepolcro.
(F. Gualdoni, *Piero della Francesca. La Leggenda della Vera Croce*, 1982)

Per creare quest'immagine [Sigismondo Pandolfo Malatesta di fronte a San Sigismondo, Rimini, Tempio Malatestiano] Piero ha ridefinito l'arte religiosa tradizionale. In precedenza le allusioni al donatore erano state limitate al soggetto e cioè alla sua identità. Piero ha diffuso le allusioni anche alla struttura architettonica dell'ambiente. Egli ha, altresì, ridefinito la funzione commemorativa delle scene cerimoniali; attraverso sovrapposizioni di significati metaforici ha celebrato un'attitudine, non un'azione. Mantenendo l'integrità delle due maniere pur fondendole in un'unica armonia, ha prodotto una nuova forma d'arte, il manifesto politico. Ciò facendo, perciò, per la prima volta nella sua carriera ha evocato quella speciale reciprocità tra divino e terreno, tra universale e particolare, che doveva diventare una delle principali impronte della sua arte.
(M. Aronberg Lavin, *L'affresco di Piero della Francesca raffigurante Sigismondo Pandolfo Malatesta di fronte a S. Sigismondo*, in *Piero della Francesca a Rimini. L'affresco nel Tempio Malatestiano*, 1984)

Il trovar che un artista del Quattrocento, in special modo se è architetto, si sia intrattenuto anche a scrivere di matematica quale premessa essenziale alla trattazione della sua attività principale, non desta alcuna meraviglia, si tratta di avvenimento tutt'altro che raro e agli studiosi di storia

dell'arte son noti gli scritti di tal sorta che, da vari ricercatori e da me, sono stati portati alle stampe. Ora è da parlarsi di un artista che più volte ebbe a scrivere di matematica e non fu architetto; ma non sta in ciò la sua caratteristica fondamentale ché ben altre e di alto livello gli debbono essere riconosciute: intendo dire di Piero della Francesca. [...] la matematica è una delle componenti della *forma mentis* di Piero della Francesca e ne è una delle più importanti.
Il convenire indubitabilmente su questa considerazione induce a porre un quesito di certo interesse e che, per contenere un termine mai fino ad ora considerato, ha altresì il carattere di novità: qual nesso ha, in Piero, l'attività pittorica con la sua cultura matematica o, più semplicemente, disponendo di una metodologia scientifica?
Per ogni operare nella scienza necessitano almeno i caratteri di *essenzialità* e di *ordine*, caratteri certamente presenti negli scritti pierfrancescani. Il primo implica una valutazione di tutti gli elementi (attivi o passivi; in atto o potenziali) con rigetto del superfluo, dell'inutile, del ripetuto [...]. Il secondo consiste in una collocazione degli elementi in mutui rapporti logici quasi a costituire un sistema chiuso in se stesso e in equilibrio.
E questo non ha riscontro alcuno nella pittura di Piero?
Così ho inteso porre, e non più, un grosso e affascinante problema; ma forse ho indicato l'inizio d'una via da percorrere.
(G. Arrighi, *Piero matematico*, in *Piero teorico dell'arte*, 1985)

Esiste, peraltro, un'altra teoria pierfrancescana, assai più complessa, della pittura, implicita nelle opere, cioè nella scelta di alcune soluzioni, ricavabile dalla predilezione per alcuni problemi visivi, sensibile a fatti emotivi, devoti, liturgici. Essa, più volte, entra in palese contraddizione con la ragione esaltata nelle pagine scritte, e, peggio, la smentisce in modo drammatico anche perché presuppone che tali violazioni siano chiaramente avvertite dal pubblico reso di esse consapevole dalla prospettiva geometrica. Se lo scorcio prospettico significa degradazione proporzionale di misure, a seconda della distanza dall'occhio, non si capisce perché le Madonne di Piero siano almeno il doppio di altezza degli altri personaggi che le stanno accanto, oppure lo si capisce troppo bene: il valore simbolico gerarchia = grandezza, trasmesso al rinascimento dalla tradizione medioevale, è da lui accettato pienamente; Piero, in altre parole, di fatto (e forse anche concettualmente) accetta l'idea che il sacro violi le leggi razionali. Allo stesso modo, come è stato indicato da Millar Meiss, la luce che illumina la *Pala di Brera*, proveniendo da sinistra, cioè da nord, è una luce miracolosa, impossibile in natura. Potremmo, su questa falsariga, tentare una casistica del razionale ed irrazionale, nelle opere del maestro di Sansepolcro, accorgendoci così che anche la *Santa Maddalena*, ad Arezzo, è di una mostruosa misura, del tutto contraddittoria con le plausibili dimensioni dell'arco che l'inquadra. Facendo una prova, per assurdo, cioè riducendo le dimensioni "sacre" a quelle naturali, nella Pala di Brera, constatiamo che tutta la plausibilità della scena verrebbe meno se essa fosse concepita nei termini esposti dal trattato.
(E. Battisti, *Teoria vs arte*, in *Piero teorico dell'arte*, 1985)

Piero si colloca al centro della storia artistica del Rinascimento con la fatalità e la semplicità di un fenomeno della natura, eppure dovessimo dire qual è il vero carattere distintivo della sua arte ci troveremmo in imbarazzo. Ci accorgeremmo anzi, rivedendo con qualche attenzione la sua fortuna critica, che l'universale consenso raccoltosi in questo secolo intorno al nome di Piero della Francesca, si sostiene su una serie di antinomie critiche tanto più paradossali in quanto tutte legittime, tutte felicemente coesistenti. L'artista che è l'immagine stessa della pura felicità creativa, che è sinonimo di pittura luminosa, appagata, senza contrasti e quasi senza storia – come molte volte è stato detto – contiene in sé, a ben guardare, tutte le possibili contraddizioni. [...] Piero è il pittore della forma al punto che nel primo Novecento egli è nell'alone di Seurat, di Cézanne e quell'orientamento di gusto contribuì non poco a renderlo celebre. Ad un certo momento egli è sembrato l'esempio perfetto, la dimostrazione antica e perciò profetica, di un concetto che ha dominato la critica d'arte fra XIX e XX secolo: di come la pittura cioè, prima di essere discorso, sia armonia di colori e di superfici. [...] Eppure Piero è anche il pittore della pelle delle cose, delle armi splendenti, del pulviscolo d'oro sui capelli degli angeli, dell'ansa del Tevere nella quale si riflettono gli alberi e il cielo, delle nebbie argentee stagnanti nelle valli del Montefeltro; il pittore dei *minima* di verità e di natura. Piero è il grande teorematico, "miglior geometra che fusse ne' tempi suoi" secondo il Vasari, "monarca" della pittura per Luca Pacioli e i suoi libri teorici contribuirono assai per tempo a circondare il personaggio di un alone di alta e quasi esoterica scientificità; "divino" lo definisce Giovanni Testa Cillenio alla fine del '400 e "antiquo", negli stessi anni, Giovanni Santi dove l'aggettivo sembra evocare suggestioni di arcana sapienza. Eppure egli è un prospettico che accetta (e non sembra proprio soffrirne, come ha notato il Battisti) l'idea che il sacro violi le leggi naturali così che le proporzioni della Madonna della Misericordia sono doppie rispetto a quelle dei suoi devoti, o che la luce possa essere di provenienza miracolosa, come avviene nella pala di Brera. Di fatto, in pochi artisti come in lui la teoria si piega alle esigenze dell'arte, diventa duttile e relativa, e pochi artisti "teorici" sono stati più di lui opportunisti, disponibile com'era a servirsi di collaboratori anche modesti, ad usare gli stessi disegni e a duplicare il medesimo spolvero, ad accettare situazioni anche di compromesso (polittici già montati e strutturati da altri, prescrizioni iconografiche antiquate). [...]

Egli è certo pittore aristocratico, di "frequentazione cortese" e non solo perché erano suoi clienti i signori di Urbino e di Rimini, il papa e il marchese di Ferrara. Il ritratto di Sigismondo Malatesta nel tempio dell'Alberti, in tutto il Quattrocento è un esempio insuperato di sublimazione araldica del potere assoluto e nulla appare più elitario, cerimoniale e rituale (aristocratico quindi nella accezione comune del termine) di scene come la *Flagellazione* di Urbino o l'*Incontro fra Salomone e la regina di Saba*. Ma egli è anche il pittore del *Cristo risorto* di Borgo Sansepolcro o della *Madonna del Parto* di Monterchi, opere che hanno sempre sollecitato commenti sulla rusticità innata, sulle radici contadine, sulla natura popolare della sua arte. [...] Ecco allora, riassumendo, un elenco delle principali contraddizioni che distinguono l'opera e la persona di Piero della Francesca. Che risulta essere, insieme, teorico ed artigiano; profondamente classico e indifferente all'archeologismo antiquario; aristocratico e popolare; massimo artefice, dopo Giotto, dell'unità della lingua figurativa italiana ma anche caratterizzato in senso locale e provinciale uomo del medioevo e protagonista della più grande mutazione in senso progressivo conosciuta dalla pittura quattrocentesca; alfiere del nuovo e nostalgico di antichi valori sociali e religiosi; poeta della forma astratta, "geometra" e prospettico, ma anche testimone impareggiabile dei *minima* di verità e di natura.

Eppure la pittura di Piero della Francesca è lì a dimostrarci che tutte le antinomie vengono di fatto superate in un universo figurativo e cromatico splendidamente armonioso che è la negazione stessa di qualsiasi irrisolta tensione.

(A. Paolucci, *Piero della Francesca*, 1989)

1

1-3. Polittico della Misericordia (Madonna della Misericordia con San Sebastiano e San Giovanni Battista, Sant'Andrea e San Bernardino da Siena; *nel registro superiore:* Annunciazione con San Benedetto da Norcia e San Francesco d'Assisi; *nella cimasa:* Crocifissione; *nella predella:* Scene della Passione di Cristo *e insegne del committente; nei pilastrini:* Santi), *c. 1445-1460, tavole, 273×323 cm. Sansepolcro, Pinacoteca Comunale. La realizzazione del grandioso complesso, allogato dalla confraternita della Misericordia di Sansepolcro l'11 giugno 1445, sulla base delle testimonianze documentarie esistenti impegnò Piero per circa diciassette anni. Le tavolette laterali, rappresentanti figure di santi, e i cinque scomparti della predella, raffiguranti scene della Passione di Cristo, vanno tuttavia assegnati ad un anonimo collaboratore dell'artista. Il polittico è purtroppo privo della cornice originaria, sostituita nel corso del Seicento da una pesante cornice barocca; l'attuale disposizione delle tavole, collegate da semplici montature in legno naturale, è frutto di accurati studi volti ad una ricostruzione il più possibile aderente alla concezione compositiva originaria, che prevedeva sicuramente una precisa interrelazione tra membrature architettoniche e figure dipinte.*

2

3

4

4-6. Battesimo di Cristo, *c. 1445-1450, tavola, 167×116 cm. Londra, National Gallery.*
Benché non disponga di dati documentari certi, la critica si mostra sostanzialmente concorde nel considerare il Battesimo di Cristo *la pala centrale di un trittico originariamente posto sull'altare dedicato a San Giovanni Battista nella Badia camaldolese di Borgo Sansepolcro.*
L'assegnazione agli anni giovanili della produzione pierfrancescana è convalidata sia dall'analisi stilistica, che evidenzia stretti rapporti con la pittura di "luce" di Domenico Veneziano, sia dall'analisi iconografica, che vedrebbe nell'atteggiamento dei tre angeli di sinistra e nel gruppo di personaggi dalle fogge orientaleggianti raffigurati sullo sfondo di destra chiare allusioni al tema della riconciliazione tra Chiesa orientale e occidentale discusso nel concilio fiorentino del 1439.

5

6

7

7. San Gerolamo e un devoto, *c. 1450, tavola, 49×42 cm. Venezia, Gallerie dell'Accademia. La tavoletta veneziana, nonostante il precario stato di conservazione, si configura come un'importantissima attestazione dell'attività giovanile di Piero. Coeva all'analogo* San Gerolamo *di Berlino, firmato e datato 1450, interessa per la funzione modellatrice della luce, per la straordinaria qualità cromatica dell'insieme e per il rapporto armonico che la figura umana instaura con la natura, descritta con affettuosa sensibilità e cura minuziosa.*

8

8. San Sigismondo e Sigismondo Pandolfo Malatesta, *1451, affresco staccato, 257×345 cm. Rimini, Tempio Malatestiano, cappella delle Reliquie. L'affresco, firmato e datato 1451, costituisce uno dei rarissimi punti fermi nella complessa cronologia dell'opera pierfrancescana. Al centro della severa struttura architettonica, da porre in relazione con l'arte di Leon Battista Alberti, spicca l'effigie del committente, inginocchiato dinanzi al suo santo patrono, il quale, presentando le medesime sembianze dell'imperatore Sigismondo, vuole essere specifico riferimento al legame di amicizia del Malatesta con la casa di Lussemburgo. Cariche di significati sono le immagini dei due splendidi veltri contrastanti per disposizione e colore e simbolo di totale fedeltà – di giorno e di notte – e della rocca malatestiana rappresentata nel tondo sulla destra, esplicita allusione alla forza militare di Sigismondo e alla legittimità del suo potere.*

9

9. Ritratto di Sigismondo Pandolfo Malatesta, *c. 1451, tavola, 44,5×34,5 cm. Parigi, Louvre.*
Dopo la rimozione delle ridipinture che ne offuscavano la piena leggibilità, il dipinto si è rivelato come uno dei vertici della produzione pierfrancescana. La qualità pittorica straordinaria lo rende unico nel panorama della ritrattistica italiana del Quattrocento, nonostante il rispetto della tradizione iconografica del tempo che imponeva il personaggio di profilo e a mezzo busto. Dal 1977, anno dell'intervento di pulitura, l'autografia del ritratto, prima assai controversa, ha trovato il pieno consenso della critica. Per la sua realizzazione Piero si valse di una tecnica mista, utilizzando, in aggiunta alla tradizionale tempera all'uovo, un legante oleoso che consentiva un trattamento più duttile della materia pittorica e particolari effetti di trasparenza nella resa "epidermica" dell'incarnato.

10

10-12. La leggenda della vera Croce: L'adorazione del sacro legno e l'incontro di Salomone con la regina di Saba, *c. 1455-1456, affresco, 336×747 cm. Arezzo, San Francesco, coro.*
La lunga e fantasiosa leggenda della vera Croce inizia con la nascita del sacro legno sulla tomba di Adamo e si sviluppa in un susseguirsi di episodi che ricoprono un amplissimo arco cronologico. Dopo essere stato utilizzato per la costruzione di un ponticello sul fiume Siloe, il sacro legno viene riconosciuto ed adorato dalla regina di Saba in visita al re Salomone, successivamente impiegato per la crocifissione di Cristo, infine sepolto. Prima della battaglia contro Massenzio (tavv. 14-16) Costantino sogna un angelo che gli impone di combattere in nome della Croce (tav. 13). Dopo la vittoria di Costantino, Elena, madre del vincitore, si pone alla ricerca del sacro legno. Lo ritrova sul Golgota, insieme alle croci dei due ladroni, in seguito alla confessione dell'ebreo Giuda (tavv. 17-19). La complicata vicenda prosegue con la trafugazione del legno da parte del re persiano Cosroe e si conclude con la sua riconquista grazie alla vittoria dell'imperatore romano Eraclio (tavv. 20, 21), che entra a Gerusalemme reggendo il prezioso legno.

L'adorazione del sacro legno e l'incontro di Salomone con la regina di Saba *presenta – secondo una formula compositiva molto cara all'artista – una struttura bipartita da una portante verticale, in questo caso una bianca colonna scanalata: a sinistra un paesaggio aperto fino all'orizzonte accoglie la regina, accerchiata dal gruppo delle sue dame, mentre si inginocchia ad adorare il sacro legno; a destra una severa ambientazione architettonica inquadra il solenne incontro alla reggia di Salomone. Probabilmente realizzato attorno al 1455-1456, dopo l'esecuzione delle lunette e dei profeti del primo registro superiore, l'affresco rappresenta uno dei vertici dell'intera produzione pierfrancescana per la sapienza prospettica della composizione architettonica e per l'equilibrio tra visione del reale e astrazione geometrica.*

12

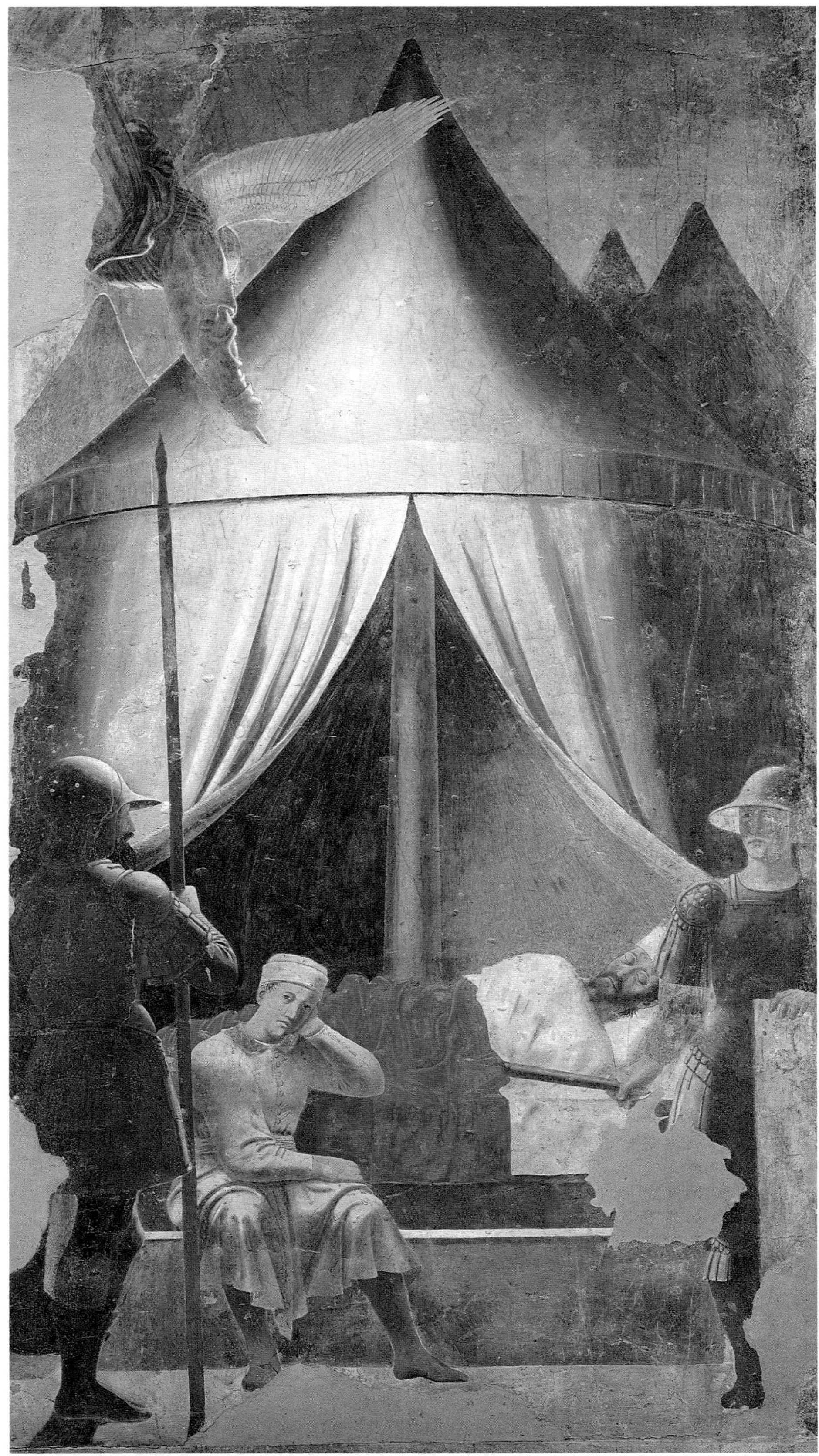

13

14

13. La leggenda della vera Croce: Il sogno di Costantino, *1457-1458, affresco, 329×190 cm. Arezzo, San Francesco, coro.*

14-16. La leggenda della vera Croce: La battaglia di Costantino e Massenzio, *particolare, c. 1458, affresco, 322×764 cm. Arezzo, San Francesco, coro.*

16

17

17-19. Piero della Francesca e aiuti,
La leggenda della vera Croce:
Il ritrovamento delle tre croci
e la verifica della vera Croce,
c. 1455-1456, affresco, 356×747 cm.
Arezzo, San Francesco, coro.

18

20

20-21. Piero della Francesca e aiuti,
La leggenda della vera Croce: La battaglia di Eraclio e Cosroe,
c. 1458-1460, affresco, 329×747 cm.
Arezzo, San Francesco, coro.

22

22. La Madonna del parto, *c. 1455-1460, affresco staccato, 260×203 cm. Monterchi (Arezzo), cappella del cimitero.*
L'affresco, una delle opere più celebri di Piero, venne staccato nel 1910, applicato ad un nuovo supporto, e quindi ricollocato nella sede originaria. Mentre la parte superiore del baldacchino è una ricostruzione dovuta ad un pesante intervento di restauro, l'immagine della Vergine e dei due angeli, realizzati attraverso il medesimo cartone rovesciato, è da ritenersi completamente autografa.
Il tema di Maria gestante, abbastanza raro nella pittura italiana, è più diffuso in area francese e spagnola.
Controversa è la cronologia del dipinto, assegnabile, secondo la maggior parte della critica, al 1460 circa.

23

23. Flagellazione di Cristo, *c. 1455-1460, tavola, 59×81,5 cm. Urbino, Galleria Nazionale delle Marche.*

Sembra ormai da accantonare la tradizionale interpretazione esegetica che riconosceva nel bellissimo giovane dalle sembianze angeliche, al centro del gruppo sulla destra, Oddantonio da Montefeltro, il fratellastro di Federico assassinato in una congiura nel 1444, nei personaggi che lo affiancano due mali consiglieri e nella scena della Flagellazione un'allusione al martirio del giovane principe. Pecca d'altra parte di eccessiva superficialità la lettura del quadro come semplice narrazione evangelica: troppo evidenti, anche se non chiaramente esplicabili, sono le implicazioni simboliche sottese alla composizione; l'episodio più significativo sarebbe inspiegabilmente allontanato prospetticamente in secondo piano e rimarrebbero senza una credibile identificazione i tre personaggi in primo piano che sono indubbiamente i veri protagonisti del soggetto. L'ipotesi attualmente più verosimile collega la complessa iconografia della tavola urbinate ai drammatici avvenimenti che colpirono la cristianità in quegli anni: la presa di Costantinopoli del 1453, il successivo bando della crociata del 1455 e il concilio di Mantova del 1459.

24

24. Resurrezione di Cristo, *1460 c., affresco, 225×200 cm. Sansepolcro, Pinacoteca Comunale.*
L'immagine racchiude un duplice significato, religioso e politico: la figura di Cristo Risorto è infatti rappresentata sullo stemma di Borgo Sansepolcro, che da una leggenda legata ai luoghi del Sacro Sepolcro trarrebbe le sue mitiche origini.
Complessa è la lettura iconografica dell'opera: Cristo, fulcro dell'intera composizione, è il simbolo della "Renovatio Mundi": al suo passaggio la natura, prima sterile, diventa feconda; la morte e la notte, metaforicamente rappresentate nei soldati addormentati dinanzi al sarcofago, vengono sconfitte dalla potente immagine di vita, di forza e di luce spirituale del Risorto, simbolo di salvezza eterna. Nel volto riverso del guardiano che poggia il capo sul bordo marmoreo del sepolcro la tradizione suole riconoscere l'autoritratto di Piero. Le più recenti indagini critiche hanno avanzato valide argomentazioni contro la diffusa opinione che ipotizzava il trasporto dell'affresco, in un periodo compreso tra il 1480 e il 1520, da un lato all'altro del palazzo.

25. Santa Maria Maddalena,
c. 1460, affresco, 190×180 cm.
Arezzo, Duomo.

25

26

27

26. Polittico di Sant'Agostino: Sant'Agostino, *c. 1465, tavola, 133×60 cm. Lisbona, Museu Nacional de Arte Antiga.*
È la pala di maggior pregio del grandioso polittico, allogato a Piero nel 1454, un tempo collocato sull'altare maggiore della chiesa di Sant'Agostino a Borgo Sansepolcro. Verso la fine del XVIII secolo l'opera fu purtroppo smembrata ed ora i pannelli superstiti fanno parte di diverse collezioni europee e americane. Al medesimo complesso appartenevano anche il San Michele *della National Gallery di Londra e il* San Nicola da Tolentino *del Poldi Pezzoli di Milano. La figura di Sant'Agostino, maestosa e solenne, avvolta da un manto di eccezionale bellezza, è rappresentata in atto di sostenere un pastorale di cristallo di delicatissima trasparenza; nel suo insieme la tavola costituisce uno dei massimi capolavori della sensibilità luministica di Piero, una delle più alte espressioni di quella straordinaria padronanza del mezzo pittorico che l'artista raggiunse negli anni della maturità.*

27. Polittico di Sant'Antonio: L'Annunciazione, *c. 1470, tavola, 170×185 cm. Perugia, Galleria Nazionale dell'Umbria.*
*La tavola costituisce la cimasa del polittico eseguito da Piero per il convento di Sant'Antonio delle Monache a Perugia, probabilmente negli anni immediatamente successivi al soggiorno romano. La palese incongruenza tra l'*Annunciazione*, uno dei vertici della sapienza prospettica rinascimentale, e la parte centrale dell'opera, legata ancora alla tradizione goticheggiante sia nell'impianto compositivo della cornice sia nel fondo oro lavorato a* ramages*, si spiega con il fatto che l'artista si trovò assai verosimilmente a completare un pentittico già iniziato da un maestro locale. Piero si valse di aiuti per la realizzazione dei pannelli centrali, mentre lavorò personalmente, oltre che alla cuspide, alle tavolette della predella.*
*La tavola con l'*Annunciazione *fu l'ultima parte del polittico ad essere approntata, attorno al 1470 secondo la cronologia tradizionale, verso lo scorcio dell'ottavo decennio del secolo secondo recenti studi basati su confronti con architetture contemporanee.*

28

28, 29. Dittico di Urbino: Ritratti di Battista Sforza e di Federico da Montefeltro,*1465-1472, tavole, 47×33 cm ciascuna. Firenze, Uffizi. Il dittico rappresenta sul recto i ritratti affrontati di Federico da Montefeltro e della moglie Battista Sforza, sul verso i rispettivi trionfi allegorici. Cronologicamente l'opera si colloca tra il 1465-1467 circa, periodo cui risale un mediocre elogio in versi dell'immagine del duca, e il 1472-1474, datazione della pala di Brera, in cui Federico appare decisamente più anziano. È stata di recente avanzata l'ipotesi di una realizzazione dell'opera in due tempi distinti: attorno al 1465 per il pannello recante l'effigie del duca e attorno al 1472, anno della morte di Battista, per quello raffigurante la consorte. I ritratti dei due signori di Urbino*

29

rappresentano uno dei punti di massima tangenza dell'arte di Piero con la pittura fiamminga, percepibile, soprattutto nell'immagine della duchessa, nell'accurata resa della complicata acconciatura, nel preziosissimo monile che fissa i molteplici nodi in cui si raccolgono le chiome sopra l'orecchio o ancora nelle perle dello splendido collier, in ognuna delle quali si rispecchia un meraviglioso microcosmo.

Sul verso delle due tavolette, concepiti in un'unica unità spaziale, compaiono i trionfi allegorici dei coniugi urbinati (tavv. 30,31): Battista, assisa su un carro trainato da due liocorni, simboli di castità, è rappresentata in atto di leggere un libro, circondata dalle Virtù teologali; Federico, assiso su un carro trainato da due candidi cavalli ed accompagnato dalle quattro Virtù cardinali, è rappresentato in atto di essere incoronato dalla Vittoria.

30

30, 31. Dittico di Urbino: Trionfi di Federico da Montefeltro e di Battista Sforza, *1465-1475, tavole, 47×33 cm ciascuna. Firenze, Uffizi.*

QVE MODVM REBVS TENVIT SECVNDIS
CONIVGIS MAGNI DECORATA RERVM
LAVDE GESTARVM VOLITAT PER ORA
CVNCTA VIRORVM

31

32

32, 33. Madonna di Senigallia (Madonna col Bambino benedicente e due angeli), *c. 1470, tavola, 61×53,5 cm. Urbino, Galleria Nazionale delle Marche.*
La piccola tavola si trovava originariamente nella chiesa di Santa Maria extra Moenia di Senigallia – da cui la denominazione con cui è solitamente conosciuta – e pervenne alla sede attuale ai primi del Novecento. L'importante intervento di restauro eseguito all'inizio degli anni Cinquanta, oltre a fornire preziose informazioni circa la natura del supporto ligneo e la composizione della pellicola pittorica, ha rivelato l'altissima qualità del dipinto, la presenza unificante dell'elemento luminoso, gli straordinari effetti, quasi palpabili, delle delicate trasparenze, delle morbide cromie, delle diafane tonalità.

33

34

35

34-36. Pala di Brera (Madonna col Bambino, sei santi, quattro angeli e il duca Federico II da Montefeltro *o* Sacra Conversazione), *1472-1474, tavola, 248×170 cm. Milano, Pinacoteca di Brera. La tavola, nella Pinacoteca Braidense dal 1811, era in origine collocata sull'altare maggiore della chiesa di San Bernardino presso Urbino. La recente operazione di restauro (1981) cui è stata sottoposta, ha rivelato una mutilazione nella parte inferiore di circa 36 cm e una considerevole rifilatura ai lati che hanno ovviamente compromessa la piena leggibilità della* Sacra Conversazione. *Il dipinto, oltre che un chiaro significato religioso, contiene evidenti allusioni alla politica coeva e alla vita privata del duca. L'imponente concezione architettonica sottesa alla realizzazione dell'opera è stata ripresa da alcuni tra i maggiori pittori contemporanei e delle generazioni successive. Molto probabilmente la pala di Brera fu l'ultimo capolavoro del maestro di Borgo: nelle mani del duca Federico, infatti, la critica ha da tempo rilevato l'intervento di un altro pittore di cultura fiamminga, forse Pedro Berruguete.*

36

Bibliografia

R. Longhi, *Piero della Francesca*, Roma, 1927, ried. in R. Longhi, *Opere Complete*, III, Firenze 1963.

B. Berenson, *Piero della Francesca o dell'arte non eloquente*, Firenze 1950.

C. Brandi, *Restauri a Piero della Francesca*, in "Bollettino d'Arte", XXXIX, 1954.

Mostra dei Quattro Maestri del primo Rinascimento, Firenze 1954.

P. Bianconi, *Piero della Francesca*, Milano 1957.

P. L. De Vecchi, *L'opera completa di Piero della Francesca*, Milano 1967.

E. Battisti, *Piero della Francesca*, Milano 1971.

P. Dal Poggetto, *Piero della Francesca, tutta la pittura*, Firenze 1971.

M. Salmi, *La pittura di Piero della Francesca*, Novara 1980.

C. Ginzburg, *Indagini su Piero*, Torino 1981.

M. Aronberg Lavin, *L'affresco di Piero della Francesca*, in *Piero della Francesca a Rimini*, Bologna 1984.

M. Laclotte, *Il ritratto di Sigismondo Malatesta di Piero della Francesca*, in *Piero della Francesca a Rimini*, Bologna 1984.

Ricerche su Piero, Quaderno della cattedra di Storia dell'arte, Università degli studi di Siena, Arezzo 1989.

A. Paolucci, *Piero della Francesca*, Firenze 1989.

Referenze fotografiche
Archivio Electa, Milano
Scala, Firenze

Stampato per conto della Arnoldo Mondadori Arte
dalla Fantonigrafica - Elemond Editori Associati